SUKEN NOTEBOOK

チャート式
解法と演習　数学C

完 成 ノ ー ト

【ベクトル】

本書は，数研出版発行の参考書「チャート式 解法と演習　数学C」の
第1章「平面上のベクトル」，　第2章「空間のベクトル」
の例題と PRACTICE の全問を掲載した，書き込み式ノートです。
本書を仕上げていくことで，自然に実力を身につけることができます。

目 次

231001

1．ベクトルの演算

基 本 例題 1

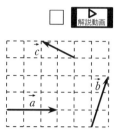

右の図で与えられた 3 つのベクトル $\vec{a}$, $\vec{b}$, $\vec{c}$ について，
次のベクトルを図示せよ。

(1)　$\vec{a}+\vec{b}$　　　　　　(2)　$\vec{b}-\vec{c}$

(3)　$\vec{a}+\vec{b}+\vec{c}$　　　　(4)　$2\vec{b}$　　　　(5)　$\vec{a}-2\vec{b}+3\vec{c}$

PRACTICE (基本) **1**　右の図で与えられた 3 つのベクトル $\vec{a}$, $\vec{b}$, $\vec{c}$ につい
て，次のベクトルを図示せよ。

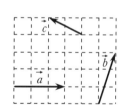

(1)　$\vec{a}+\vec{c}$　　　　　　(2)　$-3\vec{c}$

(3)　$-\vec{a}+3\vec{b}-2\vec{c}$

基本 例題 2

次の等式が成り立つことを証明せよ。

(1) $\overrightarrow{AB} - \overrightarrow{DB} + \overrightarrow{DC} = \overrightarrow{AC}$

(2) $\overrightarrow{PS} + \overrightarrow{QR} = \overrightarrow{PR} + \overrightarrow{QS}$

PRACTICE (基本) 2　次の等式が成り立つことを証明せよ。

$$\overrightarrow{AB} + \overrightarrow{DC} + \overrightarrow{EF} = \overrightarrow{DB} + \overrightarrow{EC} + \overrightarrow{AF}$$

基本 例題 3

(1) $2(2\vec{a}-\vec{b})-3(\vec{a}-2\vec{b})$ を簡単にせよ。

(2) （ア） $2\vec{a}-3\vec{x}=\vec{x}-\vec{a}+2\vec{b}$ を満たす $\vec{x}$ を，$\vec{a}$，$\vec{b}$ を用いて表せ。

（イ） $\vec{x}+2\vec{y}=\vec{a}$，$2\vec{x}-\vec{y}=\vec{b}$ を満たす $\vec{x}$，$\vec{y}$ を，$\vec{a}$，$\vec{b}$ を用いて表せ。

PRACTICE (基本) **3** (1) $\dfrac{1}{3}(\vec{a}-2\vec{b})-\dfrac{1}{2}(-\vec{a}+3\vec{b})$ を簡単にせよ。

(2) (ア) $2(\vec{x}-3\vec{a})+3(\vec{x}-2\vec{b})=\vec{0}$ を満たす $\vec{x}$ を，$\vec{a}$, $\vec{b}$ を用いて表せ。

(イ) $3\vec{x}+2\vec{y}=\vec{a}$, $2\vec{x}-3\vec{y}=\vec{b}$ を満たす $\vec{x}$, $\vec{y}$ を，$\vec{a}$, $\vec{b}$ を用いて表せ。

基本 例題 4

(1)　$\overrightarrow{\mathrm{OA}}=\vec{a}$, $\overrightarrow{\mathrm{OB}}=\vec{b}$, $\overrightarrow{\mathrm{OP}}=-2\vec{a}+\vec{b}$, $\overrightarrow{\mathrm{OQ}}=3\vec{a}-4\vec{b}$ であるとき, $\overrightarrow{\mathrm{PQ}}/\!/\overrightarrow{\mathrm{AB}}$ であることを示せ。
　　ただし, $\vec{a}\neq\vec{b}$ とする。

(2)　$|\vec{a}|=8$ のとき, $\vec{a}$ と平行で大きさが2であるベクトルを求めよ。

PRACTICE (基本) **4** (1) $\overrightarrow{\mathrm{OA}}=2\vec{a}$, $\overrightarrow{\mathrm{OB}}=3\vec{b}$, $\overrightarrow{\mathrm{OP}}=5\vec{a}-4\vec{b}$, $\overrightarrow{\mathrm{OQ}}=\vec{a}+2\vec{b}$ であるとき, $\overrightarrow{\mathrm{PQ}}/\!\!/\overrightarrow{\mathrm{AB}}$ であることを示せ。ただし, $2\vec{a}\neq3\vec{b}$ とする。

(2) $|\vec{a}|=10$ のとき, $\vec{a}$ と平行で大きさが 4 であるベクトルを求めよ。

基本 例題 5

正六角形 ABCDEF において，辺 DE の中点を M とする。このとき，

$\overrightarrow{\mathrm{CF}} = {}^{ア}\boxed{}\overrightarrow{\mathrm{AB}}$，$\overrightarrow{\mathrm{AM}} = {}^{イ}\boxed{}\overrightarrow{\mathrm{AB}} + {}^{ウ}\boxed{}\overrightarrow{\mathrm{AF}}$ である。

PRACTICE (基本) **5** 正六角形 ABCDEF において，辺 CD の中点を Q とし，辺 BC の中点を R とする。$\overrightarrow{\mathrm{AB}} = \vec{a}$，$\overrightarrow{\mathrm{AF}} = \vec{b}$ とするとき，次のベクトルを $\vec{a}$，$\vec{b}$ を用いて表せ。

(1) $\overrightarrow{\mathrm{FE}}$

(2) $\overrightarrow{\mathrm{AC}}$

(3) $\overrightarrow{\mathrm{AQ}}$

(4) $\overrightarrow{\mathrm{RQ}}$

２．ベクトルの成分

基 本 例題 6

$\vec{a}=(2,\ 3)$, $\vec{b}=(3,\ -1)$, $\vec{c}=(13,\ 3)$ であるとき，$\vec{c}=s\vec{a}+t\vec{b}$ を満たす実数 s, t の値を求めよ。

PRACTICE (基本) **6** (1) $\vec{a}=(3,\ 2)$, $\vec{b}=(0,\ -1)$ のとき，$\vec{c}=(6,\ 1)$ を $\vec{a}$ と $\vec{b}$ で表せ。

(2) $\vec{a}=(-1,\ 2)$, $\vec{b}=(-5,\ -6)$ のとき，$\vec{c}=\left(\dfrac{5}{2},\ -7\right)$ を $\vec{a}$ と $\vec{b}$ で表せ。

基本 例題7

(1) 2つのベクトル $\vec{x}$, $\vec{y}$ において，$2\vec{x}-\vec{y}=(4,\ 1)$, $3\vec{x}-2\vec{y}=(7,\ 0)$ のとき，$\vec{x}$ と $\vec{y}$ を求めよ。

(2) $\vec{a}=(2,\ 2)$, $\vec{b}=(5,\ -3)$ とする。2つの等式 $\vec{x}+4\vec{y}=\vec{a}$, $\vec{x}-2\vec{y}=\vec{b}$ を満たす $\vec{x}$, $\vec{y}$ を成分で表せ。

PRACTICE (基本) **7** (1) 2つのベクトル $\vec{x}$, $\vec{y}$ において, $\vec{x}+2\vec{y}=(-2, -4)$, $2\vec{x}+\vec{y}=(5, -2)$ のとき, $\vec{x}$ と $\vec{y}$ を求めよ。

(2) $\vec{a}=(2, -1)$, $\vec{b}=(3, 11)$ とする。2つの等式 $2\vec{x}-\vec{y}=\vec{a}+\vec{b}$, $-\vec{x}+2\vec{y}=3\vec{a}-\vec{b}$ を満たす $\vec{x}$, $\vec{y}$ を成分で表せ。

基本 例題 8

2つのベクトル $\vec{a}=(3, -4)$, $\vec{b}=(-2t+3, 3t-7)$ が平行になるように, t の値を定めよ。

PRACTICE (基本) 8

(1) 2つのベクトル $\vec{a}=(-3,\ 2)$, $\vec{b}=(5t+3,\ -t+5)$ が平行になるように, t の値を定めよ。

(2) $\vec{a}=(x,\ -1)$, $\vec{b}=(2,\ -3)$ について, $\vec{b}-\vec{a}$ と $\vec{a}+3\vec{b}$ が平行になるように, x の値を定めよ。

基本 例題 9

4点 A $(-1,\ 1)$，B $(6,\ 4)$，C $(7,\ 6)$，D $(a,\ b)$ を頂点とする四角形 ABCD が平行四辺形になるように，$a,\ b$ の値を定めよ。また，このとき，平行四辺形 ABCD の隣り合う 2 辺の長さと対角線の長さを，それぞれ求めよ。

PRACTICE (基本) **9** 4点 A$(-2, 3)$, B$(2, x)$, C$(8, 2)$, D$(y, 7)$ を頂点とする四角形 ABCD が平行四辺形になるように, x, y の値を定めよ。また, このとき, 平行四辺形 ABCD の対角線の交点を E として, 線分 BE の長さを求めよ。

基本 例題 10

解説動画

$\vec{a}=(2,\ 1)$, $\vec{b}=(-4,\ 3)$ がある。実数 t を変化させるとき，$\vec{c}=\vec{a}+t\vec{b}$ の大きさの最小値と，そのときの t の値を求めよ。

PRACTICE (基本) **10** 2 つのベクトル $\vec{a}=(11,\ -2)$ と $\vec{b}=(-4,\ 3)$ に対して $\vec{c}=\vec{a}+t\vec{b}$ とおく。実数 t が変化するとき，$|\vec{c}|$ の最小値は $^{\text{ア}}\boxed{}$，そのときの t の値は $^{\text{イ}}\boxed{}$ である。

3．ベクトルの内積

基本 例題 11

$\angle A=90°$，$AB=1$，$BC=2$ の $\triangle ABC$ において，次の内積を求めよ。

(1) $\overrightarrow{BA}\cdot\overrightarrow{BC}$

(2) $\overrightarrow{AB}\cdot\overrightarrow{BC}$

(3) $\overrightarrow{AC}\cdot\overrightarrow{CA}$

PRACTICE (基本) **11**　△ABC において，AB$=\sqrt{2}$，BC$=\sqrt{3}+1$，CA$=2$，∠B$=45°$，∠C$=30°$ であるとき，次の内積を求めよ。

(1)　$\overrightarrow{BA}\cdot\overrightarrow{BC}$

(2)　$\overrightarrow{CA}\cdot\overrightarrow{CB}$

(3)　$\overrightarrow{AB}\cdot\overrightarrow{BC}$

(4)　$\overrightarrow{BC}\cdot\overrightarrow{CA}$

基本 例題 12

(1) $\vec{a}=(\sqrt{3},\ -1),\ \vec{b}=(-1,\ \sqrt{3}\,)$ のとき，$\vec{a},\ \vec{b}$ の内積と，そのなす角 θ を求めよ。

(2) 3点 A$(-1,\ 2)$，B$(3,\ -2)$，C$(\sqrt{3},\ \sqrt{3}+1)$ について，$\overrightarrow{AB},\ \overrightarrow{AC}$ の内積と，そのなす角 θ を求めよ。

PRACTICE (基本) 12

(1) $\vec{a}=(\sqrt{6},\ \sqrt{2})$, $\vec{b}=(1,\ \sqrt{3})$ のとき, $\vec{a}$, $\vec{b}$ の内積と, そのなす角 θ を求めよ。

(2) $\vec{a}=(2,\ 4)$, $\vec{b}=(2,\ -6)$ のとき, $\vec{a}$, $\vec{b}$ の内積と, そのなす角 θ を求めよ。

(3) 3点 A$(-3,\ 4)$, B$(2\sqrt{3}-2,\ \sqrt{3}+2)$, C$(-4,\ 6)$ について, $\overrightarrow{AB}$, $\overrightarrow{AC}$ の内積と, そのなす角 θ を求めよ。

基 本 例題 13

(1) p を正の数とし，ベクトル $\vec{a}=(1,\ 1)$ と $\vec{b}=(1,\ -p)$ があるとする。いま，$\vec{a}$ と $\vec{b}$ のなす角が 60° のとき，p の値を求めよ。

(2) $\vec{a}=(1,\ -2)$, $\vec{b}=(m,\ n)$ (m と n は正の数) について，$|\vec{b}|=\sqrt{10}$ であり，$\vec{a}$ と $\vec{b}$ のなす角は 135° である。このとき，$m,\ n$ の値を求めよ。

PRACTICE (基本) 13

(1) $\overrightarrow{\mathrm{OA}}=(x,\ 1)$, $\overrightarrow{\mathrm{OB}}=(2,\ 1)$ について, $\overrightarrow{\mathrm{OA}}$, $\overrightarrow{\mathrm{OB}}$ のなす角が $45°$ であるとき, x の値を求めよ。

(2) $\vec{a}=(2,\ -1)$, $\vec{b}=(m,\ n)$ について, $|\vec{b}|=2\sqrt{5}$ であり, $\vec{a}$ と $\vec{b}$ のなす角は $60°$ である。このとき, m, n の値を求めよ。

基 本 例題 14

(1)　2つのベクトル $\vec{a}=(x-1,\ 3)$, $\vec{b}=(1,\ x+1)$ が垂直になるような x の値を求めよ。

(2)　ベクトル $\vec{p}=(2,\ 1)$ に垂直で，大きさ $\sqrt{15}$ のベクトル $\vec{q}$ を求めよ。

PRACTICE (基本) 14

(1) 2つのベクトル $\vec{a}=(x+1,\ x)$, $\vec{b}=(x,\ x-2)$ が垂直になるような x の値を求めよ。

(2) ベクトル $\vec{a}=(1,\ -3)$ に垂直である単位ベクトルを求めよ。

基本 例題 15

(1)　等式 $|2\vec{a}+3\vec{b}|^2+|2\vec{a}-3\vec{b}|^2=2(4|\vec{a}|^2+9|\vec{b}|^2)$ を証明せよ。

(2)　$|\vec{a}|=2$，$|\vec{b}|=3$ で，$\vec{a}-\vec{b}$ と $6\vec{a}+\vec{b}$ が垂直であるとき，$\vec{a}$ と $\vec{b}$ のなす角 θ を求めよ。

PRACTICE (基本) **15** (1) 等式 $\left| \dfrac{1}{2}\vec{a} - \dfrac{1}{3}\vec{b} \right|^2 + \left| \dfrac{1}{2}\vec{a} + \dfrac{1}{3}\vec{b} \right|^2 = \dfrac{1}{2}|\vec{a}|^2 + \dfrac{2}{9}|\vec{b}|^2$ を証明せよ。

(2) $|\vec{a}| = 1$, $|\vec{b}| = 1$ で, $-3\vec{a} + 2\vec{b}$ と $\vec{a} + 4\vec{b}$ が垂直であるとき, $\vec{a}$ と $\vec{b}$ のなす角 θ を求めよ。

基本 例題 16

(1) $|\vec{a}|=3$, $|\vec{b}|=4$, $\vec{a}\cdot\vec{b}=-1$ のとき, $|\vec{a}+\vec{b}|$ を求めよ。

(2) 2つのベクトル $\vec{a}$, $\vec{b}$ が $|\vec{a}|=2$, $|\vec{b}|=\sqrt{3}$, $|\vec{a}-\vec{b}|=1$ を満たすとき, $|2\vec{a}-3\vec{b}|$ の値を求めよ。

PRACTICE (基本) **16** (1) $|\vec{a}|=2$, $|\vec{b}|=3$ で $\vec{a}$ と $\vec{b}$ のなす角が $120°$ であるとき, $|3\vec{a}-\vec{b}|$ を求めよ。

(2) $|\vec{a}|=|\vec{a}-2\vec{b}|=2$, $|\vec{b}|=1$ のとき, $|2\vec{a}+3\vec{b}|$ を求めよ。

基本 例題 17

(1) $|\vec{a}|=1$, $|\vec{b}|=3$, $|\vec{a}-\vec{b}|=\sqrt{13}$ のとき，$\vec{a}$ と $\vec{b}$ のなす角 θ を求めよ。

(2) ベクトル $\vec{a}$, $\vec{b}$ について，$|\vec{a}|=3$, $|\vec{b}|=1$, $|\vec{a}-2\vec{b}|=2$ とする。t を実数として，$\vec{a}-t\vec{b}$ と $\vec{a}+\vec{b}$ が垂直になるとき，t の値を求めよ。

PRACTICE (基本) **17** (1) $|\vec{a}|=4$, $|\vec{b}|=\sqrt{3}$, $|2\vec{a}-5\vec{b}|=\sqrt{19}$ のとき, $\vec{a}$, $\vec{b}$ のなす角 θ を求めよ。

(2) $|\vec{a}|=3$, $|\vec{b}|=2$, $|\vec{a}-2\vec{b}|=\sqrt{17}$ のとき, $\vec{a}+\vec{b}$ と $\vec{a}+t\vec{b}$ が垂直であるような実数 t の値を求めよ。

基本 例題 18

$|\vec{a}|=2$, $|\vec{b}|=3$, $\vec{a}\cdot\vec{b}=-3$ のとき, $P=|\vec{a}+t\vec{b}|$ を最小にする実数 t の値と, そのときの最小値を求めよ。

PRACTICE (基本) 18 ベクトル $\vec{a}$, $\vec{b}$ について, $|\vec{a}|=2$, $|\vec{b}|=1$, $|\vec{a}+3\vec{b}|=3$ とする。このとき, 内積 $\vec{a}\cdot\vec{b}$ の値は $\vec{a}\cdot\vec{b}={}^{\mathcal{P}}\boxed{}$ である。また t が実数全体を動くとき $|\vec{a}+t\vec{b}|$ の最小値は ${}^{\mathcal{A}}\boxed{}$ である。

基本 例題 19

(1) △OAB において，$|\overrightarrow{\mathrm{OA}}|=3$，$|\overrightarrow{\mathrm{OB}}|=4$，$\overrightarrow{\mathrm{OA}}\cdot\overrightarrow{\mathrm{OB}}=6$ のとき，△OAB の面積 S を求めよ。

(2) 3 点 O$(0,\ 0)$，A$(4,\ 2)$，B$(3,\ 5)$ を頂点とする △OAB の面積 S を求めよ。

(3) 3 点 P$(4,\ 2)$，Q$(-1,\ 3)$，R$(-2,\ -2)$ を頂点とする △PQR の面積 S を求めよ。

PRACTICE (基本) **19** (1) △OAB において，$|\overrightarrow{\mathrm{OA}}| = 2\sqrt{3}$，$|\overrightarrow{\mathrm{OB}}| = 5$，$\overrightarrow{\mathrm{OA}} \cdot \overrightarrow{\mathrm{OB}} = -15$ のとき，△OAB の面積 S を求めよ。

(2) 3点 O $(0,\ 0)$，A $(1,\ 2)$，B $(3,\ 4)$ を頂点とする △OAB の面積 S を求めよ。

(3) 3点 P $(2,\ 8)$，Q $(0,\ -2)$，R $(6,\ 4)$ を頂点とする △PQR の面積 S を求めよ。

重要 例題 20

次の不等式を証明せよ。

(1) $|\vec{a}\cdot\vec{b}| \leqq |\vec{a}||\vec{b}|$

(2) $|\vec{a}| - |\vec{b}| \leqq |\vec{a}+\vec{b}| \leqq |\vec{a}| + |\vec{b}|$

PRACTICE (重要) 20 不等式 $|3\vec{a}+2\vec{b}| \leqq 3|\vec{a}| + 2|\vec{b}|$ を証明せよ。

重 要

$|\vec{a}|=1$, $|\vec{b}|=2$, $\vec{a}\cdot\vec{b}=\sqrt{2}$ とするとき, $|k\vec{a}+t\vec{b}|>1$ がすべての実数 t に対して成り立つような実数 k の値の範囲を求めよ。

PRACTICE (重要) **21** $|\vec{a}|=2$, $|\vec{b}|=1$, $|\vec{a}-\vec{b}|=\sqrt{3}$ とするとき，$|k\vec{a}+t\vec{b}|\geqq 2$ がすべての実数 t に対して成り立つような実数 k の値の範囲を求めよ。

重要 例題 22

(1) xy 平面上に点 A $(2,\ 3)$ をとり，更に単位円 $x^2+y^2=1$ 上に点 P $(x,\ y)$ をとる。また，原点を O とする。2 つのベクトル $\overrightarrow{\mathrm{OA}}$，$\overrightarrow{\mathrm{OP}}$ のなす角を θ とするとき，内積 $\overrightarrow{\mathrm{OA}}\cdot\overrightarrow{\mathrm{OP}}$ を θ のみで表せ。

(2) 実数 $x,\ y$ が条件 $x^2+y^2=1$ を満たすとき，$2x+3y$ の最大値，最小値を求めよ。

PRACTICE (重要) **22**　実数 $x,\ y,\ a,\ b$ が条件 $x^2+y^2=1$ および $a^2+b^2=2$ を満たすとき，$ax+by$ の最大値，最小値を求めよ。

4．位置ベクトル，ベクトルと図形

基本 例題 23

3 点 A $(\vec{a})$，B $(\vec{b})$，C $(\vec{c})$ を頂点とする △ABC について，次の点の位置ベクトルを $\vec{a}$, $\vec{b}$, $\vec{c}$ を用いて表せ。

(1) 辺 BC の中点を M とするとき，線分 AM を 2：3 に内分する点 N

(2) △ABC の重心を G とするとき，線分 AG を 5：3 に外分する点 D

PRACTICE (基本) **23**　3点 A$(\vec{a})$，B$(\vec{b})$，C$(\vec{c})$ を頂点とする △ABC の辺 BC を $2:1$ に外分する点を D，辺 AB の中点を E とする。線分 ED を $1:2$ に内分する点を F，△AEF の重心を G とするとき，点 F，G の位置ベクトルを $\vec{a}$，$\vec{b}$，$\vec{c}$ を用いて表せ。

基本 例題 24

△ABC の辺 BC，CA，AB を 5：3 に内分する点を，それぞれ D，E，F とするとき，$\overrightarrow{AD}+\overrightarrow{BE}+\overrightarrow{CF}=\vec{0}$ であることを証明せよ。

PRACTICE (基本) 24

三角形 ABC の内部に点 P がある。AP と辺 BC の交点を Q とするとき，BQ：QC＝1：2，AP：PQ＝3：4 であるなら，等式 $4\overrightarrow{PA}+2\overrightarrow{PB}+\overrightarrow{PC}=\vec{0}$ が成り立つことを証明せよ。

基本 例題 25

3 点 A $(\vec{a}\,)$, B $(\vec{b}\,)$, C $(\vec{c}\,)$ を頂点とする $\triangle$ABC において，AB$=5$，BC$=6$，CA$=3$ である。また，$\angle$A の二等分線と 辺 BC の交点を D とする。

(1) 点 D の位置ベクトルを $\vec{d}$ とするとき，$\vec{d}$ を $\vec{b}$, $\vec{c}$ で表せ。

(2) $\triangle$ABC の内心 I の位置ベクトルを $\vec{i}$ とするとき，$\vec{i}$ を $\vec{a}$, $\vec{b}$, $\vec{c}$ で表せ。

PRACTICE (基本) **25** 3点 A $(\vec{a})$, B $(\vec{b})$, C $(\vec{c})$ を頂点とする △ABC において，AB=6，BC=8，CA=7 である。また，∠B の二等分線と辺 AC の交点を D とする。

(1) 点 D の位置ベクトルを $\vec{d}$ とするとき，$\vec{d}$ を $\vec{a}$, $\vec{c}$ で表せ。

(2) △ABC の内心 I の位置ベクトルを $\vec{i}$ とするとき，$\vec{i}$ を $\vec{a}$, $\vec{b}$, $\vec{c}$ で表せ。

基本 例題 26

三角形 ABC と点 P があり，$4\overrightarrow{PA}+5\overrightarrow{PB}+3\overrightarrow{PC}=\vec{0}$ を満たしている。

(1) 点 P の位置をいえ。

(2) 面積比 $\triangle PBC : \triangle PCA : \triangle PAB$ を求めよ。

PRACTICE (基本) **26**　三角形 ABC と点 P があり，$2\overrightarrow{PA}+6\overrightarrow{PB}+5\overrightarrow{PC}=\vec{0}$ を満たしている。

(1)　点 P の位置をいえ。

(2)　面積比 △PBC：△PCA：△PAB を求めよ。

基本 例題 27

四角形 ABCD の辺 AB，BC，CD，DA の中点を，それぞれ K，L，M，N とし，対角線 AC，BD の中点を，それぞれ S，T とする。

(1) 頂点 A，B，C，D の位置ベクトルを，それぞれ $\vec{a}$，$\vec{b}$，$\vec{c}$，$\vec{d}$ とするとき，線分 KM の中点の位置ベクトルを $\vec{a}$，$\vec{b}$，$\vec{c}$，$\vec{d}$ を用いて表せ。

(2) 線分 LN，ST の中点の位置ベクトルをそれぞれ $\vec{a}$，$\vec{b}$，$\vec{c}$，$\vec{d}$ を用いて表すことにより，3 つの線分 KM，LN，ST は 1 点で交わることを示せ。

PRACTICE (基本) **27**　正六角形 OPQRST において $\overrightarrow{\mathrm{OP}}=\vec{p}$, $\overrightarrow{\mathrm{OQ}}=\vec{q}$ とする。

(1)　$\overrightarrow{\mathrm{OR}}$, $\overrightarrow{\mathrm{OS}}$, $\overrightarrow{\mathrm{OT}}$ を，それぞれ $\vec{p}$, $\vec{q}$ を用いて表せ。

(2)　△OQS の重心 G_1 と △PRT の重心 G_2 は一致することを証明せよ。

基 本 例題 28

平行四辺形 ABCD において，対角線 AC を $2:3$ に内分する点を L，辺 AB を $2:3$ に内分する点を M，線分 MC を $4:15$ に内分する点を N とするとき，3 点 D，L，N は一直線上にあることを証明せよ。

PRACTICE (基本) **28**　平行四辺形 ABCD において，対角線 BD を $9:10$ に内分する点を P，辺 AB を $3:2$ に内分する点を Q，線分 QD を $1:2$ に内分する点を R とするとき，3 点 C，P，R は一直線上にあることを証明せよ。

基 本 例題 29

△OABにおいて，辺 OA を 1：2 に内分する点を C，辺 OB を 2：1 に内分する点を D とする。線分 AD と線分 BC の交点を P とし，直線 OP と辺 AB の交点を Q とする。$\overrightarrow{\text{OA}}=\vec{a}$，$\overrightarrow{\text{OB}}=\vec{b}$ とするとき，次のベクトルを $\vec{a}$，$\vec{b}$ を用いて表せ。

(1) $\overrightarrow{\text{OP}}$

(2) $\overrightarrow{\text{OQ}}$

PRACTICE (基本) **29**　△OABにおいて，辺OAを$2:3$に内分する点をC，辺OBを$4:5$に内分する点をDとする。線分ADとBCの交点をPとし，直線OPと辺ABとの交点をQとする。$\overrightarrow{\mathrm{OA}}=\vec{a}$，$\overrightarrow{\mathrm{OB}}=\vec{b}$とするとき，$\overrightarrow{\mathrm{OP}}$，$\overrightarrow{\mathrm{OQ}}$をそれぞれ$\vec{a}$，$\vec{b}$を用いて表せ。

基本 例題 30

正三角形でない鋭角三角形 ABC の外心を O，重心を G とし，線分 OG の G を越える延長上に OH＝3OG となる点 H をとる。このとき，AH⊥BC，BH⊥CA，CH⊥AB であることを証明せよ。

PRACTICE (基本) **30** 三角形 OAB において，OA＝6，OB＝5，AB＝4 である。辺 OA を 5：3 に内分する点を C，辺 OB を $t：(1-t)$ に内分する点を D とし，辺 BC と辺 AD の交点を H とする。$\vec{a}＝\overrightarrow{\mathrm{OA}}$，$\vec{b}＝\overrightarrow{\mathrm{OB}}$ とするとき，次の問いに答えよ。

(1) $\vec{a}\cdot\vec{b}$ の値を求めよ。

(2) $\vec{a}\perp\overrightarrow{\mathrm{BC}}$ であることを示せ。

(3) $\vec{b}\perp\overrightarrow{\mathrm{AD}}$ となるときの t の値を求めよ。

(4) $\vec{b}\perp\overrightarrow{\mathrm{AD}}$ であるとき，$\overrightarrow{\mathrm{OH}}\perp\overrightarrow{\mathrm{AB}}$ となることを示せ。

基本 例題 31

(1) △ABC の辺 BC を 2：1 に内分する点を P とする。

(ア) $\overrightarrow{\mathrm{AB}}=\vec{a}$，$\overrightarrow{\mathrm{AC}}=\vec{b}$ とするとき，ベクトル $\overrightarrow{\mathrm{AP}}$ を $\vec{a}$，$\vec{b}$ を用いて表せ。

(イ) $3\mathrm{AB}^2+6\mathrm{AC}^2=9\mathrm{AP}^2+2\mathrm{BC}^2$ が成り立つことを示せ。

(2)　△ABC において，辺 BC の中点を M とするとき，等式 $AB^2 + AC^2 = 2(AM^2 + BM^2)$ が成り立つことを証明せよ。

PRACTICE (基本) **31**　△ABC において，辺 BC を $1:3$ に内分する点を D とするとき，等式 $3AB^2 + AC^2 = 4(AD^2 + 3BD^2)$ が成り立つことを証明せよ。

重要 例題 32

△OAB において，OA＝4，OB＝5，AB＝6 とし，垂心を H とする。また，$\overrightarrow{\mathrm{OA}}=\vec{a}$，$\overrightarrow{\mathrm{OB}}=\vec{b}$ とする。

(1) 内積 $\vec{a}\cdot\vec{b}$ を求めよ。

(2) $\overrightarrow{\mathrm{OH}}$ を $\vec{a}$，$\vec{b}$ を用いて表せ。

PRACTICE (重要) **32**　△OAB において，OA＝7，OB＝5，AB＝8 とし，垂心を H とする。また，$\overrightarrow{\mathrm{OA}}=\vec{a}$，$\overrightarrow{\mathrm{OB}}=\vec{b}$ とする。

(1)　内積 $\vec{a}\cdot\vec{b}$ を求めよ。

(2)　$\overrightarrow{\mathrm{OH}}$ を $\vec{a}$，$\vec{b}$ を用いて表せ。

$\boxed{重}\boxed{要}$ **例題 33**

$\triangle$ABC が次の等式を満たすとき, $\triangle$ABC はどんな形の三角形か。

(1) $\overrightarrow{AB} \cdot \overrightarrow{AC} = |\overrightarrow{AC}|^2$

(2) $\overrightarrow{AB} \cdot \overrightarrow{BC} = \overrightarrow{BC} \cdot \overrightarrow{CA} = \overrightarrow{CA} \cdot \overrightarrow{AB}$

PRACTICE (重要) **33** 次の等式を満たす $\triangle$ABC は, どんな形の三角形か。

$$\overrightarrow{AB} \cdot \overrightarrow{AB} = \overrightarrow{AB} \cdot \overrightarrow{AC} + \overrightarrow{BA} \cdot \overrightarrow{BC} + \overrightarrow{CA} \cdot \overrightarrow{CB}$$

56

5．ベクトル方程式

基本 例題 34

次の直線の媒介変数表示を，媒介変数を t として求めよ。また，t を消去した式で表せ。

(1) 点 A $(4,\ 2)$ を通り，ベクトル $\vec{d}=(-1,\ 3)$ に平行な直線

(2) 2 点 A $(1,\ 3)$，B $(4,\ 5)$ を通る直線

PRACTICE (基本) 34

次の直線の媒介変数表示を，媒介変数を t として求めよ。また，t を消去した式で表せ。

(1) 点 A $(3,\ 1)$ を通り，ベクトル $\vec{d}=(1,\ -2)$ に平行な直線

(2) 2点 A (3, 6), B (0, 2) を通る直線

基本 例題 35

△OAB において，辺 OA を 2 : 1 に内分する点を C，辺 OB を 2 : 1 に外分する点を D とする。
$\overrightarrow{OA}=\vec{a}$，$\overrightarrow{OB}=\vec{b}$ とするとき，次の直線のベクトル方程式を求めよ。

(1) 直線 CD

(2) A を通り，CD に平行な直線

PRACTICE (基本) **35** △OAB において，辺 OA の中点を C，辺 OB を $1:3$ に外分する点を D とする。$\overrightarrow{OA}=\vec{a}$，$\overrightarrow{OB}=\vec{b}$ とするとき，次の直線のベクトル方程式を求めよ。

(1) 直線 CD

(2) A を通り，CD に平行な直線

基 本 例題 36

△OAB において，辺 OA を $2:1$ に内分する点を C，線分 BC を $1:2$ に内分する点を D とし，直線 OD と辺 AB の交点を E とする。次のベクトルを $\overrightarrow{OA}$，$\overrightarrow{OB}$ を用いて表せ。

(1) $\overrightarrow{OD}$

(2) $\overrightarrow{\text{OE}}$

PRACTICE (基本) **36**　△OAB において，辺 OA を $3:2$ に内分する点を C，線分 BC を $4:3$ に内分する点を D とし，直線 OD と辺 AB の交点を E とする。次のベクトルを $\overrightarrow{\text{OA}}$，$\overrightarrow{\text{OB}}$ を用いて表せ。

(1) $\overrightarrow{\text{OD}}$

(2) $\overrightarrow{\text{OE}}$

基 本 例題 37

△OAB において，次の式を満たす点 P の存在範囲を求めよ。

(1) $\overrightarrow{\mathrm{OP}} = s\overrightarrow{\mathrm{OA}} + t\overrightarrow{\mathrm{OB}}$, $s+t=3$, $s \geqq 0$, $t \geqq 0$

(2) $\overrightarrow{\mathrm{OP}} = s\overrightarrow{\mathrm{OA}} + t\overrightarrow{\mathrm{OB}}$, $2s+t=3$, $s \geqq 0$, $t \geqq 0$

PRACTICE (基本) **37**　△OABにおいて，次の式を満たす点Pの存在範囲を求めよ。

(1)　$\overrightarrow{\mathrm{OP}} = s\overrightarrow{\mathrm{OA}} + t\overrightarrow{\mathrm{OB}}$，$s + t = \dfrac{1}{3}$，$s \geqq 0$，$t \geqq 0$

(2)　$\overrightarrow{\mathrm{OP}} = s\overrightarrow{\mathrm{OA}} + t\overrightarrow{\mathrm{OB}}$，$3s + 2t = 4$，$s \geqq 0$，$t \geqq 0$

基本 例題 38

△OAB において，次の式を満たす点 P の存在範囲を求めよ。

(1) $\overrightarrow{\mathrm{OP}} = s\overrightarrow{\mathrm{OA}} + t\overrightarrow{\mathrm{OB}}$, $0 \leqq s+t \leqq \dfrac{1}{3}$, $s \geqq 0$, $t \geqq 0$

(2) $\overrightarrow{\mathrm{OP}} = s\overrightarrow{\mathrm{OA}} + t\overrightarrow{\mathrm{OB}}$, $1 \leqq s \leqq 2$, $0 \leqq t \leqq 1$

PRACTICE (基本) **38**　△OAB において，次の式を満たす点 P の存在範囲を求めよ。

(1)　$\overrightarrow{\mathrm{OP}} = s\overrightarrow{\mathrm{OA}} + t\overrightarrow{\mathrm{OB}}$, $0 \leqq s + t \leqq 4$, $s \geqq 0$, $t \geqq 0$

(2)　$\overrightarrow{\mathrm{OP}} = s\overrightarrow{\mathrm{OA}} + t\overrightarrow{\mathrm{OB}}$, $2 \leqq s \leqq 3$, $0 \leqq t \leqq 2$

基本 例題 39

解説動画

(1) 3 点 A $(-1,\ 4)$, B $(-4,\ -3)$, C $(8,\ 3)$ について, 点 A を通り, BC に垂直な直線の方程式を求めよ。

(2) 直線 $\ell_1 : x - \sqrt{3}\,y + 3 = 0$ と直線 $\ell_2 : \sqrt{3}\,x + 3y + 1 = 0$ とがなす鋭角 α を求めよ。

PRACTICE (基本) **39** (1) 3点 A$(1,\ 2)$, B$(2,\ 3)$, C$(-1,\ 2)$ について，点 A を通り，BC に垂直な直線の方程式を求めよ。

(2) 2直線 $x-2y+3=0$, $6x-2y-5=0$ のなす鋭角 α を求めよ。

基本 例題 40

点 A $(2,\ -1)$ から直線 $3x-4y+5=0$ に垂線を引き，交点を H とする。

(1) $\vec{n}=(3,\ -4)$ に対して $\overrightarrow{\mathrm{AH}}=k\vec{n}$ を満たす実数 k の値を求めよ。

(2) 点 H の座標を求めよ。

(3) 線分 AH の長さを求めよ。

PRACTICE (基本) **40** 点 A $(-1,\ 2)$ から直線 $x-3y+2=0$ に垂線を引き，この直線との交点を H とする。点 H の座標と線分 AH の長さをベクトルを用いて求めよ。

基本 例題 41

解説動画

平面上の異なる 2 つの定点 O，A と任意の点 P に対し，次のベクトル方程式はどのような図形を表すか。

(1) $|2\overrightarrow{\mathrm{OP}} - \overrightarrow{\mathrm{OA}}| = 4$

(2) $\overrightarrow{\mathrm{OP}} \cdot \overrightarrow{\mathrm{OP}} = \overrightarrow{\mathrm{OP}} \cdot \overrightarrow{\mathrm{OA}}$

PRACTICE (基本) **41** (1) 平面上の異なる 2 つの定点 A，B と任意の点 P に対し，ベクトル方程式 $|3\overrightarrow{OA}+2\overrightarrow{OB}-5\overrightarrow{OP}|=5$ はどのような図形を表すか。

(2) 平面上に点 P と △ABC がある。条件 $2\overrightarrow{PA}\cdot\overrightarrow{PB}=3\overrightarrow{PA}\cdot\overrightarrow{PC}$ を満たす点 P の集合を求めよ。

基本 例題 42

2 点 A $(3, -5)$，B $(-5, 1)$ を直径の両端とする円を C とする。

(1) 点 $P_0 (2, 2)$ は円 C 上の点であることを，ベクトルを用いて示せ。

(2) 点 P_0 における円 C の接線の方程式を，ベクトルを用いて求めよ。

PRACTICE (基本) **42** 2点 A (6, 6), B (0, −2) を直径の両端とする円を C とする。

(1) 点 P_0 (−1, 5) は円 C 上の点であることを，ベクトルを用いて示せ。

(2) 点 P_0 における円 C の接線の方程式を，ベクトルを用いて求めよ。

重 要 例題 43

△OAB において，次の式を満たす点 P の存在範囲を求めよ。

(1) $\overrightarrow{\mathrm{OP}} = s\overrightarrow{\mathrm{OA}} + t\overrightarrow{\mathrm{OB}}$, $1 \leqq s+t \leqq 3$, $s \geqq 0$, $t \geqq 0$

(2) $\overrightarrow{\mathrm{OP}} = (s+t)\overrightarrow{\mathrm{OA}} + t\overrightarrow{\mathrm{OB}}$, $0 \leqq s \leqq 1$, $0 \leqq t \leqq 1$

PRACTICE (重要) **43**　△OAB において，次の式を満たす点 P の存在範囲を求めよ。

(1)　$\overrightarrow{\mathrm{OP}} = s\overrightarrow{\mathrm{OA}} + t\overrightarrow{\mathrm{OB}}$, $1 \leqq s + 2t \leqq 2$, $s \geqq 0$, $t \geqq 0$

(2)　$\overrightarrow{\mathrm{OP}} = s\overrightarrow{\mathrm{OA}} + (s-t)\overrightarrow{\mathrm{OB}}$, $0 \leqq s \leqq 1$, $0 \leqq t \leqq 1$

重要 例題 44

平面上の $\triangle ABC$ は $\overrightarrow{BA} \cdot \overrightarrow{CA} = 0$ を満たしている。この平面上の点 P が条件
$\overrightarrow{AP} \cdot \overrightarrow{BP} + \overrightarrow{BP} \cdot \overrightarrow{CP} + \overrightarrow{CP} \cdot \overrightarrow{AP} = 0$ を満たすとき，P はどのような図形上の点であるか。

PRACTICE (重要) **44**　平面上に，異なる2定点 O，A と，線分 OA を直径とする円 C を考える。また，円 C 上に点 B をとり，$\overrightarrow{OA}=\vec{a}$，$\overrightarrow{OB}=\vec{b}$ とする。

(1)　この平面上で，$\overrightarrow{OP}\cdot\overrightarrow{AP}+\overrightarrow{AP}\cdot\overrightarrow{BP}+\overrightarrow{BP}\cdot\overrightarrow{OP}=0$ を満たす点 P の全体よりなる円の中心を D，半径を r とする。$\overrightarrow{OD}$ および r を，$\vec{a}$ と $\vec{b}$ を用いて表せ。

(2)　(1) において，点 B が円 C 上を動くとき，点 D はどんな図形を描くか。

6. 空間の座標，空間のベクトル

基本 例題 45

点 P(3, 2, 4) に対して，次の座標を求めよ。

(1) 点 P から xy 平面，yz 平面，zx 平面に垂線を下ろし，各平面との交点を，それぞれ A，B，C とするとき，3 点 A，B，C の座標。

(2) 点 P と (ア) yz 平面 (イ) z 軸 (ウ) 原点 に関して対称な点の座標。

PRACTICE (基本) **45** (1)　点 $P(2, 3, -1)$ から xy 平面，yz 平面，zx 平面に垂線を下ろし，各平面との交点を，それぞれ A，B，C とするとき，3 点 A，B，C の座標を求めよ。

(2)　点 $Q(-3, 4, 2)$ と (ア) xy 平面 (イ) yz 平面 (ウ) zx 平面 (エ) x 軸 (オ) y 軸 (カ) z 軸 (キ) 原点　に関して対称な点の座標をそれぞれ求めよ。

基本 例題 46

3点 O $(0,\ 0,\ 0)$, A $(-1,\ 0,\ 2)$, B $(2,\ 1,\ -1)$ について

(1) 2点 A, B 間の距離を求めよ。

(2) 2点 A, B から等距離にある z 軸上の点 P の座標を求めよ。

(3) 3点 O, A, B から等距離にある xy 平面上の点 Q の座標を求めよ。

PRACTICE (基本) **46** 3点 A $(3,\ 0,\ -2)$, B $(-1,\ 2,\ 3)$, C $(2,\ 1,\ 0)$ について

(1) 2点 A, B から等距離にある y 軸上の点 P の座標を求めよ。

(2) 3点 A, B, C から等距離にある yz 平面上の点 Q の座標を求めよ。

基 本 例題 47

平行六面体 ABCD - EFGH において，$\overrightarrow{AB}=\vec{a}$, $\overrightarrow{AD}=\vec{b}$, $\overrightarrow{AE}=\vec{c}$ とする。

(1) $\overrightarrow{AC}$, $\overrightarrow{AF}$, $\overrightarrow{AG}$, $\overrightarrow{DF}$, $\overrightarrow{BH}$ を，それぞれ $\vec{a}$, $\vec{b}$, $\vec{c}$ を用いて表せ。

(2) 等式 $\overrightarrow{AG}-\overrightarrow{BH}=\overrightarrow{DF}-\overrightarrow{CE}$ が成り立つことを証明せよ。

PRACTICE (基本) **47** 平行六面体 ABCD - EFGH において，$\overrightarrow{AB}=\vec{a}$, $\overrightarrow{AD}=\vec{b}$, $\overrightarrow{AE}=\vec{c}$ とする。

(1) $\overrightarrow{AH}$, $\overrightarrow{CE}$ を，それぞれ $\vec{a}$, $\vec{b}$, $\vec{c}$ を用いて表せ。

(2) 等式 $\overrightarrow{AG}+\overrightarrow{BH}+\overrightarrow{CE}+\overrightarrow{DF}=4\overrightarrow{AE}$ が成り立つことを証明せよ。

(3) 等式 $3\overrightarrow{BH}+2\overrightarrow{DF}=2\overrightarrow{AG}+3\overrightarrow{CE}+2\overrightarrow{BC}$ が成り立つことを証明せよ。

7. 空間のベクトルの成分，内積

基 本 例題 48

$\vec{a}=(1,\ 3,\ 2),\ \vec{b}=(0,\ 1,\ -1),\ \vec{c}=(5,\ 1,\ 3)$ であるとき，ベクトル $\vec{d}=(7,\ 6,\ 8)$ を，$s\vec{a}+t\vec{b}+u\vec{c}$ $(s,\ t,\ u$ は実数$)$ の形に表せ。

PRACTICE (基本) **48** $\vec{a}=(1,\ 2,\ -5)$, $\vec{b}=(2,\ 3,\ 1)$, $\vec{c}=(-1,\ 0,\ 1)$ であるとき，次のベクトルを，それぞれ $s\vec{a}+t\vec{b}+u\vec{c}$ $(s,\ t,\ u$ は実数$)$ の形に表せ。

(1) $\vec{d}=(1,\ 5,\ -2)$

(2) $\vec{e}=(3,\ 4,\ 7)$

基本 例題 49

4点 A $(-1,\ 1,\ 1)$, B$(1,\ -1,\ 1)$, C$(1,\ 1,\ -1)$, D$(a,\ b,\ c)$ を頂点とする四角形 ABCD が平行四辺形になるように，a，b，c の値を定めよ。また，このとき，平行四辺形 ABCD の隣り合う 2 辺の長さと対角線の長さを，それぞれ求めよ。

PRACTICE (基本) **49**　4点 A$(1,\ 2,\ -1)$，B$(3,\ 5,\ 3)$，C$(5,\ 0,\ 1)$，D$(a,\ b,\ c)$ を頂点とする四角形 ABDC が平行四辺形になるように，a，b，c の値を定めよ。また，このとき，平行四辺形 ABDC の隣り合う 2 辺の長さと対角線の長さを，それぞれ求めよ。

基本 例題 50

$\vec{a}=(3,\ 4,\ 4),\ \vec{b}=(2,\ 3,\ -1)$ がある。 実数 t を変化させるとき，$\vec{c}=\vec{a}+t\vec{b}$ の大きさの最小値と，そのときの t の値を求めよ。

PRACTICE (基本) **50** $\vec{a}=(1,\ -1,\ 2),\ \vec{b}=(1,\ 1,\ -1)$ とする。$\vec{a}+t\vec{b}$ （t は実数）の大きさの最小値とそのときの t の値を求めよ。

基本 例題 51

□ 解説動画

(1) $AB=1$，$AD=\sqrt{3}$，$AE=1$ の直方体 ABCD - EFGH について，次の内積を求めよ。

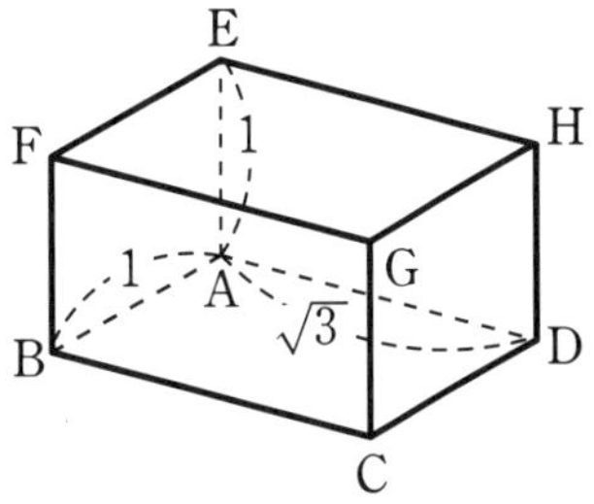

(ア) $\overrightarrow{AD}\cdot\overrightarrow{EG}$

(イ) $\overrightarrow{AB}\cdot\overrightarrow{CH}$

(2) $\vec{a}=(1,\ 1,\ 0)$，$\vec{b}=(2,\ 1,\ -2)$ の内積となす角 θ を求めよ。

PRACTICE (基本) 51

(1)　AB$=1$，AD$=\sqrt{3}$，AE$=1$ の直方体 ABCD - EFGH について，内積 $\overrightarrow{\mathrm{AE}}\cdot\overrightarrow{\mathrm{CF}}$ を求めよ。

(2)　$\vec{a}=(2,\ -3,\ -1)$，$\vec{b}=(-1,\ -2,\ -3)$ の内積となす角 θ を求めよ。

基本 例題 52

2つのベクトル $\vec{a}=(2,\ 1,\ -2)$, $\vec{b}=(3,\ 4,\ 0)$ の両方に垂直で, 大きさが $\sqrt{5}$ のベクトル $\vec{p}$ を求めよ。

PRACTICE (基本) **52** 座標空間に 4 点 O $(0,\ 0,\ 0)$, A $(3,\ -2,\ -1)$, B $(1,\ 1,\ 1)$, C $(-1,\ 4,\ 2)$ がある。$\overrightarrow{OA}$, $\overrightarrow{BC}$ のどちらにも垂直で大きさが $3\sqrt{3}$ であるベクトル $\vec{p}$ を求めよ。

基本 例題 53

3 点 A $(-3,\ 1,\ 2)$, B $(-2,\ 3,\ 1)$, C $(-1,\ 2,\ 3)$ について, $\angle BAC = \theta$ とおく。ただし, $0° < \theta < 180°$ とする。

(1) θ を求めよ。

(2) $\triangle ABC$ の面積を求めよ。

PRACTICE (基本) **53** (1) 3 点 A $(5,\ 4,\ 7)$, B $(3,\ 4,\ 5)$, C $(1,\ 2,\ 1)$ について, $\angle ABC = \theta$ とおく。ただし, $0° < \theta < 180°$ とする。このとき, θ および $\triangle ABC$ の面積を求めよ。

(2) 空間の 3 点 O $(0, 0, 0)$, A $(1, 2, p)$, B $(3, 0, -4)$ について

(ア) 次の公式を用いて，△OAB の面積を p で表せ。

$\overrightarrow{\mathrm{PQ}} = \vec{x}$, $\overrightarrow{\mathrm{PR}} = \vec{y}$ のとき，△PQR の面積は $\dfrac{1}{2}\sqrt{|\vec{x}|^2|\vec{y}|^2 - (\vec{x} \cdot \vec{y})^2}$

(イ) △OAB の面積が $5\sqrt{2}$ で，$p > 0$ のとき，p の値を求めよ。

重 要 例題 54

(1) $\vec{a}=(\sqrt{2},\ \sqrt{2},\ 2)$ と $\vec{b}=(-1,\ p,\ \sqrt{2})$ のなす角が $60°$ であるとき, p の値を求めよ。

(2) (1) の $\vec{b}$ と z 軸の正の向きのなす角 θ を求めよ。

PRACTICE (重要) **54**

(1) $\vec{a}=(-4,\ \sqrt{2},\ 0)$ と $\vec{b}=(\sqrt{2},\ p,\ -1)\ (p>0)$ のなす角が $120°$ であるとき, p の値を求めよ。

(2) (1) の $\vec{b}$ と y 軸の正の向きのなす角 θ を求めよ。

8. 位置ベクトル，ベクトルと図形

基本 例題 55

解説動画

四面体 ABCD において △BCD，△ACD の重心をそれぞれ E，F とする。

線分 AE，BF をそれぞれ 3：1 に内分する点は一致することを示せ。

PRACTICE (基本) **55** 空間内に同一平面上にない 4 点 O，A，B，C がある。$\overrightarrow{OA}=\vec{a}$，$\overrightarrow{OB}=\vec{b}$，$\overrightarrow{OC}=\vec{c}$ とおき，D，E は $\overrightarrow{OD}=\vec{a}+\vec{b}$，$\overrightarrow{OE}=\vec{a}+\vec{c}$ を満たす点とする。

(1) △ODE の重心を G とおくとき，$\overrightarrow{OG}$ を $\vec{a}$，$\vec{b}$，$\vec{c}$ を用いて表せ。

(2)　P，Q，R はそれぞれ $3\overrightarrow{AG}=\overrightarrow{AP}$，$3\overrightarrow{DG}=\overrightarrow{DQ}$，$3\overrightarrow{EG}=\overrightarrow{ER}$ を満たす点とする。このとき，$\overrightarrow{OP}$，$\overrightarrow{OQ}$，$\overrightarrow{OR}$ を $\vec{a}$，$\vec{b}$，$\vec{c}$ を用いて表せ。

(3)　O，B，C はそれぞれ線分 QR，PR，PQ の中点であることを示せ。

基 本 例題 56

平行六面体 ABCD - EFGH において，辺 AB，AD の中点を，それぞれ P，Q とし，平行四辺形 EFGH の対角線の交点を R とすると，平行六面体の対角線 AG は △PQR の重心 K を通ることを証明せよ。

PRACTICE (基本) **56** 平行六面体 ABCD – EFGH で △BDE，△CHF の重心をそれぞれ P，Q とするとき，4 点 A，P，Q，G が一直線上にあることを証明せよ。

基 本 例題 57

四面体 OABC において，$\overrightarrow{\mathrm{OA}}=\vec{a}$，$\overrightarrow{\mathrm{OB}}=\vec{b}$，$\overrightarrow{\mathrm{OC}}=\vec{c}$ とする。線分 AB を $1:2$ に内分する点を L，線分 BC の中点を M とする。線分 AM と線分 CL の交点を P とするとき，$\overrightarrow{\mathrm{OP}}$ を $\vec{a}$，$\vec{b}$，$\vec{c}$ を用いて表せ。

PRACTICE (基本) **57** 四面体 OABC の辺 AB, BC, CA を 3:2, 2:3, 1:4 に内分する点を, それぞれ D, E, F とする。CD と EF の交点を H とし, $\overrightarrow{OA}=\vec{a}$, $\overrightarrow{OB}=\vec{b}$, $\overrightarrow{OC}=\vec{c}$ とする。このとき, ベクトル $\overrightarrow{OH}$ を $\vec{a}$, $\vec{b}$, $\vec{c}$ を用いて表せ。

基本 例題 58

解説動画

3 点 A (2, 2, 0), B (5, 7, 2), C (1, 3, 0) の定める平面 ABC 上に点 P (4, y, 2) があるとき, y の値を求めよ。

PRACTICE (基本) **58**　3 点 A (1, 1, 0), B (3, 4, 5), C (1, 3, 6) の定める平面 ABC 上に点 P (4, 5, z) があるとき, z の値を求めよ。

基本 例題 59

四面体 OABC において，辺 AB を $1:2$ に内分する点を P，線分 PC を $2:3$ に内分する点を Q とする。また，辺 OA の中点を D，辺 OB を $2:1$ に内分する点を E，辺 OC を $1:2$ に内分する点を F とする。平面 DEF と線分 OQ の交点を R とするとき，OR：OQ を求めよ。

PRACTICE (基本) **59** 四面体 OABC において，辺 AB の中点を P，線分 PC を 2：1 に内分する点を Q とする。また，辺 OA を 3：2 に内分する点を D，辺 OB を 2：1 に内分する点を E，辺 OC を 1：2 に内分する点を F とする。平面 DEF と線分 OQ の交点を R とするとき，OR：OQ を求めよ。

基本 例題 60

3 点 A $(2, 0, 0)$, B $(0, 4, 0)$, C $(0, 0, 6)$ を通る平面を α とし，原点 O から平面 α に下ろした垂線と α の交点を H とする。点 H の座標を求めよ。

PRACTICE (基本) **60** 原点を O とし，A (2, 0, 0)，B (0, 4, 0)，C (0, 0, 3) とする。原点から 3 点 A，B，C を含む平面に垂線 OH を下ろしたとき，次のものを求めよ。

⑴ 点 H の座標

(2)　△ABC の面積

基本 例題 61

1 辺の長さが 1 の正四面体 ABCD において，辺 AB，CD の中点を，それぞれ E，F とする。

(1)　AB⊥EF が成り立つことを証明せよ。

(2)　△BCD の重心を G とするとき，線分 EG の長さを求めよ。

PRACTICE (基本) 61

1辺の長さが2の正四面体 ABCD において，辺 AD，BC の中点を，それぞれ E，F とする。

(1) EF⊥BC が成り立つことを証明せよ。

(2) △ABC の重心を G とするとき，線分 EG の長さを求めよ。

重要 例題 62

四面体 OABC と点 P について $10\overrightarrow{\mathrm{OP}}+5\overrightarrow{\mathrm{AP}}+9\overrightarrow{\mathrm{BP}}+8\overrightarrow{\mathrm{CP}}=\vec{0}$ が成り立つ。

(1) 点 P はどのような位置にあるか。

(2) 四面体 OABC, PABC の体積をそれぞれ V_1, V_2 とするとき, $V_1:V_2$ を求めよ。

PRACTICE (重要) **62** 四面体 OABC と点 P について $7\overrightarrow{\mathrm{OP}}+2\overrightarrow{\mathrm{AP}}+4\overrightarrow{\mathrm{BP}}+5\overrightarrow{\mathrm{CP}}=\vec{0}$ が成り立つ。

(1) 点 P はどのような位置にあるか。

(2) 四面体 OABC，PABC の体積をそれぞれ V_1, V_2 とするとき，$V_1 : V_2$ を求めよ。

重要 例題 63

$\angle$AOB＝$\angle$BOC＝45°, $\angle$AOC＝60°, OA＝OC＝1, OB＝$\sqrt{2}$ である四面体 OABC において, 頂点 O から平面 ABC に垂線 OH を下ろす。垂線 OH の長さを求めよ。

PRACTICE (重要) **63** ∠AOB＝∠AOC＝60°，∠BOC＝90°，OB＝OC＝1，OA＝2 である四面体 OABC において，頂点 O から平面 ABC に垂線 OH を下ろす。垂線 OH の長さを求めよ。

9．座標空間における図形，ベクトル方程式

基本 例題 64　　　　　　　　　　　　　　　　□

3 点 A $(0,\ 3,\ 7)$, B $(x,\ y,\ z)$, C $(2,\ -4,\ -1)$ について，次の条件を満たす $x,\ y,\ z$ の値を求めよ。

(1)　線分 AB を $2:1$ に内分する点の座標が $(2,\ -1,\ 3)$

(2)　線分 AB を $3:2$ に外分する点の座標が $(15,\ 12,\ -23)$

(3)　$\triangle$ABC の重心の座標が $(1,\ -2,\ 3)$

PRACTICE (基本) **64**　3 点 A $(-3,\ 0,\ 4)$，B$(x,\ y,\ z)$，C$(5,\ -1,\ 2)$ について，次の条件を満たす x，y，z の値を求めよ。

(1)　線分 AB を $1:2$ に内分する点の座標が $(-1,\ 1,\ 3)$

(2)　線分 AB を $3:4$ に外分する点の座標が $(-3,\ -6,\ 4)$

(3)　△ABC の重心の座標が $(1,\ 1,\ 3)$

基 本 例題 65

(1) 点 A (1, 3, −2) を通る，次のような平面の方程式を，それぞれ求めよ。

　(ア) xy 平面に平行　　　　　　　　　　　(イ) yz 平面に平行

　(ウ) zx 平面に平行

(2) 点 B (2, −1, 3) を通る，次のような平面の方程式を，それぞれ求めよ。

　(ア) x 軸に垂直　　　　　　　　　　　　(イ) y 軸に垂直

　(ウ) z 軸に垂直

PRACTICE (基本) 65

(1) 点 A (−2, 1, 0) を通り，yz 平面に平行な平面の方程式を求めよ。

(2) 点 B (3, 2, −4) を通り，zx 平面に平行な平面の方程式を求めよ。

(3) 点 C (0, 3, −2) を通り，z 軸に垂直な平面の方程式を求めよ。

基本 例題66

次の球面の方程式を求めよ。

(1) 点 A$(1, -2, 3)$ を中心とし，点 B$(2, -1, -1)$ を通る球面

(2) 2点 A$(3, 2, -4)$，B$(-1, 2, 0)$ を直径の両端とする球面

(3) 点 $(3, -5, 2)$ を中心とし，xy 平面に接する球面

PRACTICE (基本) **66** 次の球面の方程式を求めよ。

(1) 点 A (3, 0, 2) を中心とし，点 B (1, $\sqrt{5}$, 4) を通る球面

(2) 2 点 A (−1, 1, 2)，B (5, 7, −4) を直径の両端とする球面

(3) 点 (2, −3, 1) を中心とし，zx 平面に接する球面

基 本 例題 67

中心が $(1,\ a,\ 2)$, 半径が 6 の球面が zx 平面と交わってできる円の半径が $3\sqrt{3}$ であるという。a の値を求めよ。

PRACTICE (基本) **67** (1) 中心が $(-1,\ 3,\ 2)$，半径が 5 の球面が xy 平面，yz 平面，zx 平面と交わってできる図形の方程式をそれぞれ求めよ。

(2) 中心が $(1,\ -2,\ 3a)$，半径が $\sqrt{13}$ の球面が xy 平面と交わってできる円の半径が 2 であるという。a の値を求めよ。また，この円の中心の座標を求めよ。

基本 例題 68

(1) 点 A (2, 3, 1) を通り，$\vec{d}=(-1,\ -2,\ 2)$ に平行な直線 ℓ に，原点 O から垂線 OH を下ろす。点 H の座標を求めよ。

(2) 2点 A (3, -1, 2)，B (1, -2, 3) を通る直線と xy 平面との交点の座標を求めよ。

PRACTICE (基本) **68** (1)　点 A $(2,\ -1,\ 0)$ を通り，$\vec{d}=(-2,\ 1,\ 2)$ に平行な直線 ℓ に，原点 O から垂線 OH を下ろす。点 H の座標を求めよ。

(2) 2点 A $(3,\ 1,\ -1)$, B $(-2,\ -3,\ 2)$ を通る直線と, xy 平面, yz 平面, zx 平面との交点の座標をそれぞれ求めよ。

重要 例題 69

(1) 次の方程式はどんな図形を表すか。

$$x^2 + y^2 + z^2 + 6x - 3y + z + 11 = 0$$

(2) 4点 $(0,\ 0,\ 0)$, $(6,\ 0,\ 0)$, $(0,\ 4,\ 0)$, $(0,\ 0,\ -8)$ を通る球面の中心の座標と半径を求めよ。

PRACTICE (重要) **69** (1)　方程式 $x^2+y^2+z^2-x-4y+3z+4=0$ はどんな図形を表すか。

(2)　4点 O $(0,\ 0,\ 0)$, A $(0,\ 2,\ 3)$, B $(1,\ 0,\ 3)$, C $(1,\ 2,\ 0)$ を通る球面の中心の座標と半径を求めよ。

重要 例題 70

3 点 A $(1, \ -1, \ 0)$，B $(3, \ 1, \ 2)$，C $(3, \ 3, \ 0)$ の定める平面を α とする。
点 P $(x, \ y, \ z)$ が α 上にあるとき，$x, \ y, \ z$ が満たす関係式を求めよ。

PRACTICE (重要) **70**　次の3点の定める平面を α とする。点 $P(x, y, z)$ が α 上にあるとき，x, y, z が満たす関係式を求めよ。

(1)　$(1, 2, 4)$, $(-2, 0, 3)$, $(4, 5, -2)$

(2) (2, 0, 0), (0, 3, 0), (0, 0, 4)

重要 例題 71

(1) 点 $(1,\ 2,\ -3)$ を通り，$\vec{a}=(3,\ -1,\ 2)$ に平行な直線 ℓ と，点 $(4,\ -3,\ 1)$ を通り，$\vec{b}=(3,\ 7,\ -2)$ に平行な直線 m の交点の座標を求めよ。

(2) 点 $(6,\ 3,\ -4)$ を通り，ベクトル $(-1,\ 1,\ 4)$ に平行な直線 ℓ と，点 $(2,\ 4,\ 6)$ を中心とする半径 3 の球面との交点の座標を求めよ。

PRACTICE (重要) **71** (1) 直線 $\ell : (x,\ y,\ z) = (-5,\ 3,\ 3) + s(1,\ -2,\ 2)$ と直線
$m : (x,\ y,\ z) = (0,\ 3,\ 2) + t(3,\ 4,\ -5)$ の交点の座標を求めよ。

(2) 2点 A$(2,\ 4,\ 0)$, B$(0,\ -5,\ 6)$ を通る直線 ℓ と, 点 $(0,\ 2,\ 0)$ を中心とする半径 2 の球面との共有点の座標を求めよ。

重要 例題 72

2点 A$(1,\ 3,\ 0)$, B$(0,\ 4,\ -1)$ を通る直線を ℓ とし, 点 C$(-1,\ 3,\ 2)$ を通り, $\vec{d}=(-1,\ 2,\ 0)$ に平行な直線を m とする。

(1) ℓ と m は交わらないことを示せ。

(2) ℓ 上の点 P と m 上の点 Q の距離 PQ の最小値を求めよ。

PRACTICE (重要) **72** 2点 A(1, 1, −1), B(0, 2, 1) を通る直線を ℓ, 2点 C(2, 1, 1), D(3, 0, 2) を通る直線を m とする。

(1) ℓ と m は交わらないことを示せ。

(2) ℓ 上の点 P と m 上の点 Q の距離 PQ の最小値を求めよ。

重要 例題 73

点 $P(1, 2, \sqrt{6})$ を通り，$\vec{d}=(1, -1, -\sqrt{6})$ に平行な直線を ℓ とする。

(1) 直線 ℓ と xy 平面の交点 A の座標を求めよ。

(2) 点 P から xy 平面に垂線 PH を下ろしたとき，点 H の座標を求めよ。

(3) 直線 ℓ と xy 平面のなす鋭角 θ を求めよ。

PRACTICE（重要）**73** 点 P$(-2,\ 3,\ 1)$ を通り，$\vec{d}=(2,\ 1,\ -3)$ に平行な直線を ℓ とする。

(1) 直線 ℓ と xy 平面の交点 A の座標を求めよ。

(2) 点 P から xy 平面に垂線 PH を下ろしたときの，点 H の座標を求めよ。

(3) 直線 ℓ と xy 平面のなす鋭角を θ とするとき，$\cos\theta$ の値を求めよ。

解説動画

補 充 **例題 74**

点 A $(-1,\ 3,\ -2)$ とする。

(1) 点 A を通り，$\vec{n}=(4,\ -1,\ 3)$ に垂直な平面の方程式を求めよ。

(2) 平面 $\alpha : 2x-y+2z-7=0$ に平行で，点 A を通る平面を β とする。平面 β と点 B $(-1,\ -5,\ 3)$ の距離を求めよ。

PRACTICE (補充) **74**　点 A $(2, -4, 3)$ とする。

(1)　点 A を通り，$\vec{n} = (1, -3, -5)$ に垂直な平面の方程式を求めよ。

(2)　平面 $\alpha : x - y - 2z + 1 = 0$ に平行で，点 A を通る平面を β とする。平面 β と点 P$(1, -4, 2)$ の距離を求めよ。

補 充 例題 75　　　　　　　　　　　　　　　　　□　解説動画

(1) 点 $(-2,\ 5,\ 1)$ を通り，$\vec{d}=(2,\ 4,\ -3)$ に平行な直線の方程式を求めよ。
　　ただし，媒介変数を用いずに表せ。

(2) 直線 $\dfrac{x+1}{3}=y+2=\dfrac{z-1}{2}$ と平面 $3x-2y-4z+6=0$ の交点の座標を求めよ。

PRACTICE (補充) **75** (1) 次の直線の方程式を求めよ。ただし，媒介変数を用いずに表せ。

(ア) 点 $(5, 7, -3)$ を通り，$\vec{d} = (1, 5, -4)$ に平行な直線

(イ) 2点 A $(1, 2, 3)$，B $(-3, -1, 4)$ を通る直線

(2) 直線 $\dfrac{x+3}{2} = \dfrac{y-1}{-4} = \dfrac{z+2}{3}$ と平面 $2x + y - 3z - 4 = 0$ の交点の座標を求めよ。